Godi + Zidrou

L'élève Ducobu

Couleurs: Véronique Grobet

LE LOMBARD
LA BD DES 7 A 77 ANS

D/2002/0086/32
ISBN 2-80361-299-2

Dépôt légal : janvier 2002

LES EDITIONS DU LOMBARD
7, AVENUE PAUL-HENRI SPAAK - 1060 BRUXELLES - BELGIQUE

www.lelombard.com
l'internet des 7 à 77 ans

0/10
L'élève Ducobu
C'EST MOI !
EUH ! RÉVEILLE-TOI, MON GRAND, J'AI UNE MAUVAISE NOUVELLE À T'ANNONCER !
HUM ?
C'EST AUJOURD'HUI LA RENTRÉE DES CLASSES !
1 SEPTEMBRE
NOOOOOOONNN ! PITIÉ ! PAS L'ÉCOLE !
10/10
INSTITUT ST POTACHES
LAISSEZ-MOI SORTIR, JE SUIS INNOCENT !!
UN CAUCHEMAR ! CE N'ÉTAIT QU'UN CAUCHEMAR !
ALLEZ MON PETIT DUC', UNE BONNE NUIT DE SOMMEIL ET DEMAIN MATIN TOUT CECI NE SERA PLUS QU'UN MAUVAIS SOUVENIR !
31 AOUT

0/10
L'élève Ducobu
Moi, je voudrais bien me faire des amis.
Très bien !
Et vous Rachid ? Quels espoirs fondez-vous en cette année nouvelle ?
Ma nouvelle année scolaire
Moi, je voudrais bien améliorer mon orthographe pour écrire des lettres d'amour à mon amoureuse !
Moi, je voudrais bien apprendre à piloter un hélicoptère et puis aussi apprendre à parler le martien et puis...
... apprendre à danser le tango et puis apprendre le nom de toutes les étoiles et puis apprendre la recette du bonheur, et puis...
C'est ça ! C'est ça !
Et vous Léonie Gratin ?
Moi, je voudrais bien être à nouveau première de classe pour faire plaisir à ma maman !
Ducobu ?
Moi, je voudrais bien m'en aller parce que c'est moche ici !
Ha ! Ha ! Ha ! Ha !
Et ce n'est pas ça qui va me faire changer d'avis !
2

0/10
L'élève Ducobu
COGITE
COGITE
EH BIEN, DUCOBU, QU'EST-CE QUE VOUS ATTENDEZ POUR COMMENCER ?
J'AI OUBLIÉ MON STYLO À LA MAISON, M'SIEUR !
UN ÉLÈVE SANS STYLO, DUCOBU, C'EST COMME UN SOLDAT SANS SON FUSIL !
SI VOUS ÉTIEZ SOLDAT, DUCOBU, IRIEZ-VOUS AU COMBAT SANS VOTRE FUSIL ?
JAMAIS JE NE SERAI SOLDAT !
D'AILLEURS JE DÉTESTE LA GUERRE ! TOUT CE SANG VERSÉ PENDANT QUE LES MARCHANDS D'ARMES SE REMPLISSENT LES POCHES, C'EST RÉPUGNANT !
REPRENEZ VOTRE FUSIL ET ALLEZ VOUS-MÊME AU COMBAT SI LE COEUR VOUS EN DIT !
!!!
BIEN DIT, DUCOBU ! VIVE DUCOBU ! DUCOBU PRÉSIDENT ! VIVE LUI ! VIVE LA PAIX ! VIVE L'AMOUR !
.!
CHANGER DE MÉTIER ?!? MAIS POURQUOI DONC, MON CHER LATOUCHE ?
BEUH A BEUH !
SOB ! HU !
SNIF !
SNIF !
3

0/10
L'élève Ducobu
LE PREMIER QUI A FINI SES CALCULS RECEVRA UN BONBON.
AU TRAVAIL ! ET JE NE VEUX RIEN ENTENDRE !
POTINS
CALCULE CALCULE
SCRITCH SCRITCH
CALCULE CALCULE CALCULE CALCULE
J'AI FINI, M'SIEUR !
DUCOBU !?
JE PEUX AVOIR MON BONBON, M'SIEUR ?
Ducobu
1×2 = 14
6×3 = 15
4×5 = 16
3×9 = 20
10×10 = 10
2×7 = 30
2×5 = 12
4×3 = 16
3×2 = 18
4×6 = 32
8×3 = 40
9×5 = 54
7×8 = 18
12×2 = 39
MIAM ! MIAM !
PARCE QUE EN PLUS IL FALLAIT DONNER LES BONNES RÉPONSES !
ÂNE
4

0/10
L'élève Ducobu
6 x . = 42
9 x 4 =
5 x . = 30
. x 8 = 72
7 x . = 21
NON!
NON! PAS QUESTION QUE JE TE LAISSE COPIER SUR MOI, DUCOBU!
TU N'AS QU'À ÉTUDIER TES TABLES DE MULTIPLICATION COMME N'IMPORTE QUI!
JUSTEMENT! JE NE SUIS PAS N'IMPORTE QUI!
VOTRE PRIX SERA LE MIEN, CHÈRE VOISINE!
DOLLARS? YENS? DEUTSCHE MARKS? ESCUDOS? MONOPOLY?
JE NE MANGE PAS DE CE PAIN-LÀ!
ET MAINTENANT, MÉDIOCRE, LAISSE-MOI BRILLER!
PPF! ÉGOÏSTE!
CALCULE
SCRITCH
SCRITCH
CALCULE
CALCULE
CALCULE
SCRITCH
CALCULE
CALCULE
SCRITCH
CALCULE
GNNN!
862
EN 30 ANS DE CARRIÈRE, JAMAIS JE N'AVAIS VU ÇA!!!

0/10
L'élève Ducobu
ET SI NOUS PASSIONS AUX TABLES, DUCOBU ?!
NON MERCI, JE N'AI PAS TRÈS FAIM !
9x9=?
EUH... 36?
CE N'EST PAS 36?
VOUS ÊTES SÛR?
6x7=?
BON SANG ! MAIS OÙ AI-JE FOURRÉ CETTE CALCULATRICE ÉLECTRONIQUE MINIATURISÉE ?
9x5=?
COCHEZ LA BONNE RÉPONSE :
56?
27?
SANS OPINION !
3x3=?
49?
5x4=?
32?
10x6=?
63?
2x5=?
16?
1x2=?
JE NE DEMANDERAIS PAS MIEUX QUE DE VOUS DONNER LA BONNE RÉPONSE, MAIS, VOYEZ-VOUS, CELA M'EST FORMELLEMENT INTERDIT PAR MON SYNDICAT (*)
* LE S.C.S. : LE SYNDICAT DES CANCRES SOLIDAIRES
MAIS C'EST INCROYABLE, DUCOBU ! VOUS NE SAVEZ RIEN ! ABSOLUMENT RIEN !
BEN NON ! C'EST MÊME POUR ÇA QUE MON PAPA M'A ENVOYÉ À L'ÉCOLE !...
Cher Monsieur le Ministre de l'injustice,
Je vous écris pour dénoncer un abominable tortionnaire qui multiplie les mauvais traitements à mon encontre !...
PAS SI VITE, PAS SI VITE !
6

0/10
L'élève Ducoba
DOCTEUR, JE VOIS DES CHIFFRES PARTOUT !
À LA MAISON, MON PÈRE S'EST MIS EN TÊTE DE FAIRE ENTRER DANS LA MIENNE CES @#!% DE TABLES DE MULTIPLICATION !
PAR TOUS LES MOYENS !
EN CLASSE MON PROFESSEUR ME NOIE DE CALCULS !
CES MAUDITS CHIFFRES ME POURSUIVENT JUSQUE DANS MA NOURRITURE !
PARTOUT OÙ JE VAIS, ILS ME HARCÈLENT !
TOMBOLA
020817
MES CAUCHEMARS MÊME SONT CHIFFRÉS !
DOCTEUR, JE CROIS QUE JE SUIS EN TRAIN DE DEVENIR FOU !
MAIS NON ! MAIS NON ! UN PEU DE SURMENAGE INTELLECTUEL, VOILÀ TOUT !
DITES "33" !
JE... JE NE COMPRENDS PAS CE QUI LUI A PRIS ! IL S'EST JETÉ SUR MOI SANS AUCUNE RAISON !
PARTOUT DES CHIFFRES ; NE LES LAISSEZ PAS S'APPROCHER DE MOI !
CELUI-CI M'A L'AIR D'ÊTRE UN FAMEUX NUMÉRO !
7

0/10
L'élève Ducobu
QUELLE BELLE CUEILLETTE DEUX POINTS
QUELQUES HYMÉNOMYCÈTES, DES HYPHOLOMES, DES...
?!
DICTÉES
EN 20 ANS DE CARRIÈRE, JAMAIS JE N'AI VU UN ÉLÈVE QUI ÉCRIVAIT AUSSI MAL QUE VOUS, DUCOBU !
MON CHIEN ÉCRIT PLUS PROPREMENT QUE VOUS !
SI TEL EST LE CAS, VOUS DEVRIEZ LE VENDRE À UN CIRQUE !
VOICI UN CAHIER D'ÉCRITURE POUR ÉLÈVES DE MATERNELLE !
MON PREMIER CAHIER D'ÉCRITURE
VOUS ALLEZ ME RÉAPPRENDRE À TRACER DE JOLIES BOUCLES !!
MAIS ! MAIS ! MAIS !
BOUCLEZ-LE, DUCOBU !
QUELQUES HYMÉNOMYCÈTES, DES HYPHOLOMES DES...
GRMBL ! GRMBL !
8

0/10
L'élève Ducobu
BON ! JE RAMASSE LES COPIES !
Interrogation d'analyse :
Les chasseurs ont tué le loup.
Léonie Gratin
Interrogation d'analyse :
Les chasseurs ont tué le loup.
groupe sujet
verbe
complément direct
groupe verbal
Ducobu
Interrogatoire d'Ananalyse
Les chaseurs ont tué le loup
Pax !
groupe d'imbéciles
acte barbare
complètemen en voie de disparition
objet du délit
JE SUPPOSE QUE VOUS DÉSIREZ ME VOIR GAGNER L'ANGLE DE CE LOCAL COMMUNÉMENT APPELÉ COIN ?
JE... JE VOULAIS VOUS DIRE À QUEL POINT JE SUIS FIER DE PARTAGER CE MODESTE COIN AVEC VOUS !
COMME QUOI QUI NE VA PAS À LA CHASSE PERD AUSSI SA PLACE !
9...

0/10
L'élève Ducobu
PCCHHHHHHiiii
CLAC!
HHiii
clic!
PPCCHHHiiii
CLONK!
NOUS INTERROMPONS NOTRE PROGRAMME POUR VOUS LIRE CETTE ANNONCE URGENTE:
PCCHHiiii
EN RAISON DU TRÈS GRAND VERGLAS QUI SÉVIT ACTUELLEMENT SUR LA VILLE, L'ÉCOLE SAINT-POTACHE FAIT SAVOIR À SES ÉLÈVES QU'ELLE RESTERA FERMÉE AUJOURD'HUI.
PCCHHiiii
?
FROTT
FROTT
FROTT
BEN ÇA ALORS! C'EST VRAIMENT PAS DE CHANCE, FISTON! TOI QUI AVAIS PRIS LA BONNE RÉSOLUTION DE REMONTER LA PENTE AU COURS DE CE TRIMESTRE, V'LA QU'IL Y A DU VERGLAS !!
PCCHHiiii
VOUS N'AURIEZ PAS QUELQUE CHOSE DE PLUS... CORSÉ ?
HUM! JE VOIS QUE MONSIEUR EST UN CONNAISSEUR!
TOUT POUR LE CANCRE
J'AI ICI UNE COPIE D'EXCELLENTE QUALITÉ DE L'ANNONCE QUI A ÉTÉ LANCÉE À LA RADIO LORS DE L'ÉPIDÉMIE DE MÉNINGITE DE 1974.
C'EST PLUS CHER, MAIS IL Y A UNE SEMAINE DE SUSPENSION DES COURS À LA CLÉ!
COPIONS FRAIS DU JOUR
SI VOUS ME PRENEZ PAR LES SENTIMENTS!
10

0/10
L'élève Ducobu
VOYONS ! QUELLE CATASTROPHE VA S'ABATTRE AUJOURD'HUI SUR NOTRE PAUVRE ÉCOLE SAINT-POTACHE ?
GRÈVE DU PERSONNEL ENSEIGNANT ?
TREMBLEMENT DE TERRE ?
NUAGE DE SAUTERELLES ?
AH ! VOILÀ ! L'ANNONCE DU BOMBARDEMENT DE LA VILLE PAR LES ALLEMANDS EN 1944 !
JE ME DISAIS AUSSI : DU VERGLAS, UNE PANNE DE CHAUFFAGE, UNE ÉPIDÉMIE DE MÉNINGITE... SUR UNE SEMAINE, CELA FAIT BEAUCOUP POUR UNE MÊME ÉCOLE !
BEN OUI, M'SIEUR LATOUCHE ! JE SUIS BONNE PÂTE, ALORS, VOUS COMPRENEZ, MON FILS EN PROFITE POUR ME ROULER DANS LA FARINE !
PAPA ! VIENS ÉCOUTER ! C'EST INCROYABLE !
CLAC !
FISTON, JE VIENS D'AVOIR TON INSTITUTEUR AU TÉLÉPHONE !
AH ? GLOUPS !
LE PAUVRE HOMME EST AU PLUS BAS...
DEUX DE TES CAMARADES DE CLASSE SE SONT CASSÉ UNE JAMBE LE JOUR OÙ IL Y A EU DU VERGLAS, TROIS AUTRES ONT ATTRAPÉ UNE PNEUMONIE À CAUSE DE LA PANNE DU CHAUFFAGE CENTRAL ET ON NE COMPTE PLUS LES CAS DE MÉNINGITE !...
C'EST À SE DEMANDER CE QUI VA BIEN POUVOIR ENCORE LEUR TOMBER SUR LA TÊTE !
VOUS VENEZ VOUS CONSTITUER PRISONNIER POUR QUOI !?
POLICE
J'AVOUE TOUT : LE TREMBLEMENT DE MÉNINGITE, L'ÉPIDÉMIE DE CHAUFFAGE, LA PANNE DE TERRE, C'ÉTAIT MOI !
JE SUIS UN MISÉRABLE !
SI !
11

0/10
L'élève Ducobu
Ducobu dans
LE RETOUR DES ABOMINABLES TABLES DE MULTIPLICATION !
7x6?
42!
EUH!... BIEN ! BIEN ! UN COUP DE CHANCE, SANS DOUTE...
8x9?
72!
9x4 ?
36!
EUH... 13x7?
91!
249 x 367?
91.383!
DUCOBU, MON PETIT DUCOBU ! LAISSEZ-MOI VOUS EMBRASSER ! C'EST LE PLUS BEAU JOUR DE MA VIE D'INSTITUTEUR !
UN TRUC ! JE SUIS SÛRE QU'IL Y A UN TRUC ! DIS-MOI LA VÉRITÉ ! TU T'ES FAIT GREFFER UN NOUVEAU CERVEAU ?
CHÈRE VOISINE, PERMETTEZ-MOI DE VOUS PRÉSENTER COSINUS, UNE PUCE SAVANTE QUE M'A PRÊTÉ UN AMI FORAIN !
IL FAUT VOIR À QUELLE VITESSE CETTE MINUSCULE GROSSE TÊTE SAIT MULTIPLIER !
MAIS QUE ? QU'EST-CE QUI ?!!!
GRATT
GRATT
TU NE CROYAIS PAS SI BIEN DIRE, DUCOBU. IL FAUT VOIR EN EFFET À QUELLE VITESSE CETTE MINUSCULE GROSSE TÊTE S'EST MULTIPLIÉE !
RESTE À TROUVER UN NOM À TOUTES CES NOUVELLES PENSIONNAIRES !
GRATT
GRATT
GRATT
GRATT
12

0/10
L'élève Ducobu
8x7 = ?
ALORS, DUCOBU? PRÊT POUR LE GRAND MASSACRE?
N'EST-CE PAS AUJOURD'HUI QUE NOUS AVONS INTERROGATION SUR LES TABLES DE MULTIPLICATION ?
NIARK NIARK
IL N'Y AURA PAS DE MASSACRE: J'AI MIS MON GILET PARE-BALLES!!
PARCE QUE TU T'IMAGINES QUE MONSIEUR LATOUCHE NE SE DOUTERA DE RIEN QUAND IL TE VERRA AVEC CE T-SHIRT SUR LE DOS?
POUR UNE FOIS CE QUE VOUS DITES N'EST PAS DÉNUÉ D'INTÉRÊT, CHÈRE VOISINE!
HÉ, JOSETTE
HI! HI!
C'EST DE LA TRICHE!
PAS DU TOUT! C'EST DE LA LÉGITIME DÉFENSE!
13

AVEC CE NOUVEAU PAPIER PEINT, FISTON, TU RETIENDRAS PLUS FACILEMENT LES TABLES DE MULTIPLICATION !
GN?!
17:02
COLLE

0/10
L'élève Ducobu
QUESTION POUR 1 MILLIARD
POUR 250 MILLIONS, MONSIEUR DUCOBU...
LE 11 FÉVRIER 1970, LE JAPON DEVIENT LE QUATRIÈME PAYS À SATELLISER, PAR SES PROPRES MOYENS, UN ENGIN SPATIAL. QUEL ÉTAIT LE NOM DE CET ENGIN ?
ENFANTIN !
LE VAISSEAU S'APPELAIT "OSHUMI..
LA RÉPONSE EST CORRECTE !
BRAVO! CLAP!
BRAVO! CLAP!
CLAP!
CLAP!
MONSIEUR DUCOBU, DÉSIREZ-VOUS NOUS QUITTER ET REPARTIR AVEC LA COQUETTE SOMME DE 250 MILLIONS OU PRÉFÉREZ-VOUS REMETTRE CETTE SOMME EN JEU ET TENTER DE DOUBLER VOS GAINS ?
LE MOT "DOUBLER" ME RAPPELLE DE BIEN PÉNIBLES SOUVENIRS MAIS...
JE CONTINUE !
POUR UN DEMI-MILLIARD, MONSIEUR DUCOBU.
QUELLE EST LA FORMULE CHIMIQUE LA PLUS LONGUE ?
C'EST CELLE DE LA PROTÉINE SYNTHÉTASE, ÉVIDEMMENT !
A C1289 H2051 N343 O375 S8.
HÉLAS ! LA RÉPONSE EST...
TOURNE LA PAGE !
QUEL SUSPENSE INSOUTENABLE !
15

0/10
L'élève Ducobu
EXACTE !
CLAP! CLAP! CLAP! CLAP! CLAP! CLAP! CLAP! CLAP!
MONSIEUR DUCOBU, DÉSIREZ-VOUS ARRÊTER ET REPARTIR AVEC LA SOMME EXORBITANTE DE 500 MILLIONS OU PRÉFÉREZ-VOUS TENTER LE QUITTE OU DOUBLE ?
ÉPARGNE TA SALIVE, MON GARS! POSE TA QUESTION !
BIEN, JE VAIS DONC VOUS POSER LA QUESTION POUR ...
QUESTION POUR 1 MILLIARD
1 MILLIARD!
LA QUESTION EST RIDICULEMENT SIMPLE, MONSIEUR DUCOBU. ELLE SE RÉSUME EN UN CALCUL ÉLÉMENTAIRE.
MONSIEUR DUCOBU, COMBIEN FONT 6X7 ?
TIC! TIC! TIC! TIC! TIC!
EUH...
TIC TIC TIC TIC TIC
TIC! TIC! TIC! TIC! TIC! TIC!
4:20
QUE JE VOUS APPRENNE VOS TABLES DE MULTIPLICATION, DUCOBU ?
À CETTE HEURE-CI ?
16

0/10
L'élève Ducobu
VOUS PERMETTEZ, CHER VOISIN ?
WAPDOUWAP
C'EST BIEN CE QUE JE PENSAIS.
?
SI UN JOUR VOUS DEVIEZ TOMBER ENTRE LES MAINS D'UN IRRÉDUCTIBLE RÉDUCTEUR DE TÊTES, LE PAUVRE N'AURAIT PAS BEAUCOUP DE TRAVAIL !
?
PEUT-ON SAVOIR CE QUE VOUS FAITES CHÈRE AMIE ?
TIC TIC TIC TIC TIC TIC TIC TIC TIC TIC
JE VOUS TRICOTE UNE CAGOULE POUR TENIR AU CHAUD CE QUI VOUS SERT DE CERVEAU !
TIC TIC TIC TIC TIC TIC TIC TIC TIC TIC
UNE CAGOULE !?... POUR MOI TOUT SEUL ?
C'EST RARE QUE L'ON SE METTE À DEUX DANS LA MÊME CAGOULE !
TIC TIC TIC TIC TIC TIC TIC TIC TIC TIC
JOYEUX NOËL, MON CHER DUCOBU !
JE... JE PEUX L'ENFILER TOUT DE SUITE ?
EUH ! PSST ! LÉONIE, DIS, TU N'AURAIS PAS OUBLIÉ L'OUVERTURE POUR LES YEUX PAR HASARD ?
17

0/10
L'élève Ducoba
COMME LE SAIT DÉJÀ LE COMPTE EN BANQUE DE VOS PARENTS, DANS UNE SEMAINE NOUS PARTONS EN CLASSE DE NEIGE. AUSSI ALLONS-NOUS...
?!
SCHUSS! SCHUSS!
SLALOME, MON FRÈRE!
SI LE ROI DE LA POUDREUSE VEUT ME PRÊTER UN INSTANT SON ATTENTION...
AU BAS DE L'AUTORISATION QU'A SIGNÉE VOTRE PAPA FIGURAIT UNE CLAUSE RESTRICTIVE.
LÀ, EN TOUT PETIT!
«Seuls les élèves connaissant leurs tables de multiplication seront autorisés à prendre part au voyage.»
PAR PITIÉ, MONSIEUR LATOUCHE, LAISSEZ-MOI VOUS ACCOMPAGNER EN CLASSE DE NEIGE! JE FARTERAI VOS SKIS! J'ASTIQUERAI VOS STICKS JE...
TARATATA! APPRENEZ D'ABORD VOS TABLES, LAMENTABLE!
JE PARIE QUE VOUS N'ÊTES MÊME PAS CAPABLE DE ME DIRE COMBIEN FONT 5x5?
EUH... 25?
3x6?
FASTOCHE! 18!
EUH! 6x7?
42 BIEN SÛR!
JE VAIS EN CLASSE DE NEI-GE! JE VAIS EN CLASSE DE NEI-GE!
UN MIRACLE! C'EST UN MIRACLE!
SMOUTCH!
18

0/10
L'élève Ducobu
...7! 8! 9! 10!
11! 12! 13! 14! 15! 16!
POIL À LA MERGUEZ!
VOUS ME FEREZ 100 LIGNES, MARBAIX!
16! 17! 18! 19! ET 20!
OUCH!
OUCH!
OUCH!
OUCH!
PARFAIT, NOUS POUVONS Y...
20!?!
MAIS JE N'AI QUE 19 ÉLÈVES DANS MA CLASSE!
VOUS!?!
AU COIN, PASSAGER CLANDESTIN!
NÉNESS!!
19

0/10
L'élève Ducobu
ET C'EST LE ROCK ROCK, ROCK DU BASSIN
ET C'EST LE ROCK DU BASSIN DE NATATION!
IIIIIIII
ÉCOUTEZ-MOI BIEN, LES MÔMES! LA SEMAINE DERNIÈRE J'AI CONDUIT LES SUPPORTERS DU F.C. BRAQUEGNIES À LISBONNE POUR UN MATCH DE COUPE D'EUROPE. ILS N'ONT PAS ARRÊTÉ DE CHANTER PENDANT 2000 KILOMÈTRES!!
AU RETOUR, C'ÉTAIT PIRE, ENCORE: LE FC BRAQUEGNIES AVAIT GAGNÉ 0-7!
TOUTE CETTE SEMAINE, J'AI VÉHICULÉ LES CHOEURS DE L'ARMÉE ROUGE EN TOURNÉE DANS NOTRE PAYS! CES COSAQUES PROFITAIENT DU MOINDRE DÉPLACEMENT POUR RÉPÉTER!
N'EN PROFITEZ PAS, CHÈRE VOISINE!
ALORS, MAINTENANT VOUS ALLEZ METTRE LE BOUTON DU VOLUME SUR LE MINIMUM! SINON JE FONCE DANS LE PREMIER RAVIN VENU!
ET LE PREMIER QUI OUVRE SON CLAPET, JE L'ENFERME DANS LES SOUTES À BAGAGES! ME SUIS-JE BIEN FAIT COMPRENDRE?
FÉLICITATIONS! QUEL CHARISME! QUELLE AUTORITÉ! SI! SI! JE PARLE EN CONNAISSEUR!
SAVEZ-VOUS QUE NOTRE ÉCOLE CHERCHE JUSTEMENT UN BON SURVEILLANT?
CRIC! CRAC!
MAIS QU'EST-CE QUE J'AI DIT?
20

0/10
L'élève Ducobu
LA FRONTIÈRE, LES ENFANTS! D'ICI UNE PETITE HEURE, NOUS SERONS AU PIED DES PISTES.
YOUPIE!
RIEN À DÉCLARER?
CES ENFANTS VIENNENT EN CLASSE DE NEIGE DANS VOTRE BEAU PAYS. VOUS PENSEZ BIEN QU'ILS N'ONT RIEN À VOUS CACHER!
MAUVAIS: ILS DISENT TOUS ÇA!
CHEF! CHEF! VENEZ VOIR!
DES MESSAGES CODÉS
MES COPIONS! RENDEZ-MOI MES COPIONS!
SALE COPIEUR!
2x8=16
3x7=21
4x7=28
9x7=63
EN CLASSE DE NEIGE, HEIN!?
MAIS..!
MAIS..
C'EST LUI! IL NOUS FORÇAIT À APPRENDRE PAR COEUR DES TAS DE CHIFFRES INCOMPRÉHENSIBLES!
5x7=35
CHEF! NOS COLLÈGUES BELGES ONT DÉMANTELÉ TOUT LE RÉSEAU. ILS ONT DÉJÀ ARRÊTÉ LA DIRECTRICE DE L'ÉCOLE ET L'INSPECTEUR!!
21

0/10
L'élève Ducobu
Très chers parents VIRGULE
nous sommes bien arrivés en Suisse POINT
Deux mètres de neige VIRGULE un soleil resplendissant VIRGULE et l'air vivifiant des montagnes VIRGULE que demander de plus POINT D'INTERROGATION
La nourriture est délicieuse POINT D'EXCLAMATION
Et que dire de l'hospitalité helvétique POINT D'INTERROGATION
Je m'amuse beaucoup POINT D'EXCLAMATION
Je vous embrasse POINT D'EXCLAMATION ET VOUS SIGNEZ !
Léonce
BEN QUOI ?! QU'EST-CE QUE VOUS AVEZ TOUS À ME REGARDER COMME ÇA !?
22

0/10
L'élève Ducobu
CE N'EST QU'UN AU REVOIR MES FRÈRES ! CE N'EST QU'UN AU REVOIR !...
AU NOM DU PEUPLE SUISSE ET DE SES VAILLANTS DOUANIERS, VEUILLEZ ACCEPTER NOS PLUS PLATES EXCUSES !
J'ESPÈRE QUE VOUS POURREZ PROFITER AU MIEUX DES DEUX JOURS DE CLASSE DE NEIGE QU'IL VOUS RESTE À PASSER DANS NOTRE BEAU PAYS !
SORTIE
QU'ON NE ME PARLE PLUS JAMAIS DE LA SUISSE ET DE SES DOUANIERS !
L'AN PROCHAIN, POUR LES CLASSES DE NEIGE, J'EMMÈNE MES ÉLÈVES AU SAHARA !
ALLEMAGNE
SUISSE
FRANCE
ITALIE
ET MAINTENANT, JE VOUS PRIERAI DE NOUS CONDUIRE À NOTRE AUTOCAR. NOUS RENTRONS SUR L'HEURE AU PAYS !
EUH !... POUR LE CAR, IL Y A COMME QUI DIRAIT UN PETIT PROBLÈME... VOUS COMPRENEZ, QUAND NOUS SOUPÇONNONS QUELQU'UN D'ESPIONNAGE, LE RÈGLEMENT NOUS IMPOSE DE...
MAIS JE PEUX VOUS RASSURER : NOUS N'AVONS TROUVÉ AUCUN MICROFILM !
BEUHABEUH !
S'IL ME RESTE ENCORE L'UNE OU L'AUTRE PETITE PLACE POUR VOS ÉLÈVES ?!
TOUTES DIRECTIONS
SUISSE
23

0/10
L'élève Ducobu
SMOUTCH!
AAAH! CELA FAIT DU BIEN DE RETROUVER SON ÉCOLE ADORÉE!
CETTE CLASSE BIEN AIMÉE AUX DOUCES SENTEURS DE CRAIE ET DE SUEUR MÊLÉES!
CE BON VIEUX BANC, FIER VAISSEAU BRAVANT COURAGEUSEMENT LES TEMPÊTES DE DICTÉES!
CETTE ÉRUDITE VOISINE DONT LA FEUILLE D'INTERROGATION EST UNE INVITE PERMANENTE À LA COPIE!
DUCOBU, VOYONS, ARRÊTE!
QUELLE BELLE CUEILLETTE NOUS FÎMES DEUX POINTS
CE CHER PROFESSEUR, CE BERGER ATTENTIF, TOUJOURS PROMPT À RAMENER LA BREBIS ÉGARÉE VERS LE TROUPEAU DES MOUTONS, BÊLANT À LONGUEUR DE JOURNÉE LEURS TABLES DE MULTIPLICATION!
QUEL DOMMAGE QUE LE VOCABULAIRE DE CE BRAVE HOMME SOIT À CE POINT LIMITÉ!
JE CROIS QUE C'ÉTAIT À VOUS DE JOUER!...
JE VOUS LE DEMANDE MON CHER NÉNESS: À QUOI BON COURIR LE MONDE ALORS QUE LE BONHEUR EST AU COIN DE LA CLASSE, MMH?
BIENVENUE DUCOBU!
24

0/10
L'élève Ducobu
LE SUJET DE CE CONCOURS DE DESSIN EST : DESSINE TON INSTITUTEUR COMME TU LE VOIS !
DÉCIDÉMENT, IL ÉTAIT ÉCRIT QUE JE SERAIS VOTRE MODÈLE !...
GOMME
GRATTE
GOMME
VOYONS VOIR CES PETITS CHEFS-D'OEUVRE.
CE... C'EST SAISSISSANT DE RESSEMBLANCE, MA CHÈRE LÉONIE GRATIN !
ET VOUS, DUCOBU ? J'ESPÈRE QUE VOUS M'AVEZ FAIT À MON AVANTAGE.
afin de ne pas choqué les membre du Jury, j'ai préférer m'abstenir de lui offrir le pénible spectacle du portrait de Monsieur Latouche
Ducobu
SOB SOB SOB
POUR UNE FOIS QUE JE NE COPIE PAS SUR MA VOISINE !
ÂNE
25

0/10
L'élève Ducobu
BZZ!
DUCOBU! JE VOUS AI DÉJÀ DIT 3 FOIS QUE VOUS POUVIEZ RETOURNER À VOTRE PLACE!
BEN QUOI!? MOI, JE PENSAIS QUE C'ÉTAIT ICI MA PLACE!!
26

0/10
L'élève Ducobu
CARBURE CARBURE
?
ROL ROL ROL ROL
PCCHH
ROL ROL ROL
FLASH!
GNI, GNI, GNI ! ET MAINTENANT, MARCHE ARRIÈRE, TOUTE !
LOR LOR LOR
BBROOOO
?
GLUPS!
LOR LOR
PUT!
PAF!
SOB! LES MOYENS MILITAIRES DES PETITES NATIONS FONT BIEN PIÈTRE FIGURE FACE À LA FORCE DE FRAPPE DES GRANDES PUISSANCES.
27

0/10
L'élève Ducobu
DUCOBU !! VOUS ME COPIEREZ 100 FOIS POUR DEMAIN : "COPIER, C'EST VOLER !"
JE CRAINS MALHEUREUSEMENT QUE CE NE SOIT PAS POSSIBLE !...
VOUS AVEZ ÉTÉ PARTICULIÈREMENT EN FORME AUJOURD'HUI : MON CARNET DE COMMANDES EST DÉJÀ REMPLI !
Punitions
100 lignes !!!
Coppier 5 fois les tables de multiplication ×2
multiplication ×2
* conjuguer à tous les temps le verbe "ne plus ronfler pendant les courts"
* 10 tours de cour
* aller voir ailleurs si vous n'y êtes pas
1, 2, 3, 4,... PLUS LES "COPIER C'EST VOLER", CELA NOUS FAIT UN TOTAL DE 12 PUNITIONS !
JE CRAINS DÈS LORS, CHER CLIENT, DE NE POUVOIR SATISFAIRE VOTRE NOUVELLE COMMANDE POUR DEMAIN.
À MOINS BIEN SÛR QUE, DANS VOTRE IMMENSE BONTÉ, VOUS NE M'ACCORDIEZ UNE PETITE REMISE DE PEINE !
NOUS N'EN FERONS RIEN ! LA MAISON SAIT RÉCOMPENSER SES PLUS FIDÈLES CLIENTS : À LA 12e PUNITION, LA 13e EST GRATUITE ! VOUS ME REMETTREZ DONC UNE CENTAINE DE LIGNES BIEN FRAÎCHES !
BIEN ESSAYÉ !
VOUS, LA PROMOTION DE LA SEMAINE, ON NE VOUS A PAS SONNÉE !
28

0/10
L'élève Ducobu
...ET JE VOUS REMERCIE D'ÊTRE VENUS SI NOMBREUX À CETTE RÉUNION DE PARENTS QUI...
?!
EUH!? OUI! MADAME GRATIN?
MONSIEUR LATOUCHE, JE VOUDRAIS ME FAIRE LA PORTE-PAROLE DE MA FILLE!
DEPUIS LE DÉBUT DE L'ANNÉE SCOLAIRE, MA PETITE LÉONIE SUBIT LES ATTAQUES RÉPÉTÉES DE SON VOISIN QUI ABUSE SANS VERGOGNE DE SON IMMENSE SAVOIR!
CE CANCRE NOTOIRE N'EST MÊME PAS FICHU D'APPRENDRE SES TABLES DE MULTIPLICATION! C'EST VOUS DIRE!
CE DOIT ÊTRE HÉRÉDITAIRE, SANS DOUTE...
POUR VOTRE GOUVERNE, SACHEZ, MÂÂDAME, QUE JE TRAVAILLE AU SERVICE DES STATISTIQUES DU CHÔMAGE DU MINISTÈRE DE L'EMPLOI! LES CHIFFRES, ÇA ME CONNAÎT!
VRAIMENT?
6x7?
EUH! GLUPS! VOUS... VOUS ME PRENEZ AU DÉPOURVU 6x7?
VOYONS VOIR! 6x7?
JE HAIS CES RÉUNIONS DE PARENTS!
À QUI LE DITES-VOUS!
29

0/10
L'élève Ducobu
18+2
375
3-45K
13216
2765
6L/m
A
B
VOUS NE TROUVEZ PAS QUE DEPUIS QUELQUE TEMPS, DUCOBU TIRE UN PEU TROP LES GAGS À LUI ?
J'AI L'IMPRESSION DE N'ÊTRE QU'UN BIBELOT À LUNETTES DANS CETTE SÉRIE !
MAIS JE SAIS CE QU'IL FAUT FAIRE POUR QUE LES PROJECTEURS SE BRAQUENT À NOUVEAU SUR MOI :
JE VAIS COPIER !
ENFIN !
?!
?
LÉONIE GRATIN !
QU'EST-CE QUE JE VOUS DISAIS ?
C'EST BEAU D'AIDER SPONTANÉMENT VOTRE VOISIN EN DIFFICULTÉ ! VOILÀ QUI MÉRITE ASSURÉMENT UN 10 EN CONDUITE.
MAIS PAS DU TOUT ! ELLE ESSAYAIT DE TRICH...
TAISEZ-VOUS, MISÉRABLE INGRAT ! VOUS ME FEREZ 100 LIGNES !
C'EST CE QU'ON APPELLE ÊTRE VICTIME DE SA RÉPUTATION !
VOUS M'ÔTEZ LES MOTS DE LA BOUCHE, CHÈRE VOISINE !
30

0/10
L'élève Ducobu
!
PEUT-ON SAVOIR, CHÈRE VOISINE, CE QUE VOUS FAITES AU LIEU DE BRILLER COMME DE COUTUME SUR VOTRE INTERROGATION ?
J'EN AI MARRE D'ÊTRE PREMIÈRE DE CLASSE ! LES PREMIÈRES DE CLASSE ONT TOUJOURS LE MAUVAIS RÔLE. J'AI DÉCIDÉ DE DEVENIR UNE CANCRE !
MAIS VOUS N'Y PENSEZ PAS !
AVANT TOUT, VOUS DEVEZ SAVOIR QUE LES ÉTUDES POUR DEVENIR CANCRE DURENT PLUS LONGTEMPS QUE CELLES POUR DEVENIR PREMIÈRE DE CLASSE. BEAUCOUP PLUS LONGTEMPS !
IL FAUT D'ABORD APPRENDRE À FAIRE DES FAUTES D'ORTHOGRAPHE. DES BELLES. DE CELLES QUI FONT RIRE DANS LES SALLES DE PROFESSEURS. COMME "MÉZON" OU "BANNANNE".
IL FAUT ENSUITE UNE DISCIPLINE DE FER POUR NE RETENIR AUCUNE DES TABLES DE MULTIPLICATION ! PAS MÊME CELLE DE 1 !
ET QUE DIRE SNIF ! DES RÉUNIONS DE FAMILLE QUE FUIENT VOS PARENTS À L'IDÉE DE DEVOIR MONTRER VOS RÉSULTATS À L'ASSISTANCE APITOYÉE ?
ET AVEZ-VOUS SONGÉ À LA TERRIBLE DÉSILLUSION DE VOS ENFANTS S'ILS VENAIENT UN JOUR À TOMBER SUR LE BULLETIN DE LEUR MÈRE CHÉRIE ?!
PPFFUI ! J'AI CRU UN INSTANT QU'ELLE ALLAIT METTRE SES MENACES À EXÉCUTION ! NON MAIS !? SUR QUI J'AURAIS COPIÉ, MOI ALORS ?
31

0/10
L'élève Ducobu
CETTE FOIS, C'EST MARRE! J'EN AI RAS LES TRESSES DE TRAVAILLER POUR DEUX!
NE GESTICULEZ DONC PAS TANT, CHÈRE VOISINE! JE NE PARVIENS PLUS À COPIER!
MONSIEUR LATOUCHE! EST-CE OBLIGATOIRE QUE DUCOBU S'ASSEYE TOUJOURS À CÔTÉ DE MOI? NE POURRAIT-ON PAS CHANGER DE PLACE?
MAIS POURQUOI DONC?
MA FOI, C'EST UNE EXCELLENTE IDÉE! VIVE LE CHANGEMENT!
DU CALME! DU CALME! POUR QU'IL N'Y AIT PAS DE DISPUTE, NOUS ALLONS TIRER AU SORT VOS NOUVELLES PLACES!
J'INSCRIS LE NOM DE CHACUN D'ENTRE VOUS SUR UN BOUT DE PAPIER...
JE MÉLANGE LES NOMS...
ET JE VAIS DEMANDER À UNE MAIN INNOCENTE DE PROCÉDER AU TIRAGE...
SUSPENSE!
PUIS-JE VOUS DEMANDER DE REDRESSER QUELQUE PEU VOTRE FEUILLE, CHÈRE VOISINE?
VIVE LE CHANGEMENT!
32

* LA LOI EST DURE MAIS C'EST LA LOI !

L'élève Ducobu
LE CHÂTEAU DE VERSAILLES À VERSAILLES.
LE COIN OÙ LE TROISIÈME FILS DE LOUIS XIV SURNOMMÉ LOUIS ZÉRO PASSA LE PLUS CLAIR DE SON ENFANCE...
WONDERFUL!
OOOH!
LA GRAND PLACE DE BRUXELLES À BRUXELLES.
COMME L'ATTESTENT CES GRAFFITIS, C'EST DANS CE COIN QU'HERGÉ ALORS ÂGÉ DE 5 ANS, FUT UN JOUR PUNI PAR UN AGENT DE POLICE SUR QUI LE PETIT "KETJE" BRUXELLOIS AVAIT LANCÉ UNE BOULE DE NEIGE!
WONDERFUL!
OOOH!
LA GRANDE MURAILLE DE CHINE. EN CHINE.
LE SEUL, L'UNIQUE COIN QUE COMPORTENT LES 3000 KM DE LA GRANDE MURAILLE. LES OUVRIERS EN AVAIENT MARRE!
WONDERFUL!
OOOOH!
LA GRANDE PYRAMIDE DE KHÉOPS. À KHÉ... EUH ENFIN! EN ÉGYPTE QUOI!
DANS CE COIN, VOUS AUREZ RECONNU LE SARCOPHAGE DE PWALOFESS II QUI RESTERA À TOUT JAMAIS LE PHARAON LE PLUS STUPIDE DE TOUTE L'HISTOIRE DE L'ÉGYPTE ANCIENNE!
AAAH!
OOOH!
ALORS CES VACANCES AUX QUATRE COINS DU MONDE?
CROIS-MOI NÉNESS: ON PART LOIN CHERCHER LE BONHEUR EN OUBLIANT QUE NOTRE PETIT COIN DE PARADIS C'EST ICI!
C'EST BEAU CE QUE VOUS DITES. SI J'AVAIS ENCORE DES LARMES, JE CROIS BIEN QUE JE PLEURERAIS!
34

CLUB 90%+
AUJOURD'HUI CONFÉRENCE DE MADEMOISELLE LÉONIE GRATIN (99.9%)
INTERDIT AUX CANCRES

Bienvenue au
CLUB 90%+
Le CLUB 90%+ est le premier club de vacances qui, comme son nom l'indique, est exclusivement réservé aux élèves ayant obtenu au moins 90% au terme de la défunte année scolaire.
Il est strictement interdit aux autres élèves d'assister à la (brillante) conférence qui suit. Na!
La présidente du CLUB 90%+
Léonie Gratin

0/10
CLUB 90%+
CLUB 90%+
93%
95%
VOTRE LAISSER-PASSER, S'IL VOUS PLAÎT, MONSIEUR...
MAIS BIEN SÛR, MON BRAVE !
81%
98%
79%
BULLETIN
INSTITUT DE L'ATHÉNÉE
CLASSE DE Mme
ÉLÈVE
A OBTENU
98%
BIENVENUE AU CLUB 90%+ MONSIEUR !
SI MONSIEUR VEUT BIEN SE DONNER LA PEINE !
CES FORMALITÉS SONT HARASSANTES, MAIS C'EST LE PRIX À PAYER SI NOUS VOULONS PRÉSERVER L'INTÉGRITÉ DE NOTRE CLUB. FIGUREZ-VOUS QUE LA SEMAINE DERNIÈRE, UN ÉLÈVE QUI N'AVAIT OBTENU QUE 82% A ESSAYÉ DE SE FAIRE ADMETTRE !
QUELLE HORREUR !
CLUB
IL Y A VRAIMENT DES GENS QUI NE DOUTENT DE RIEN ! 82% !! MAIS JE SERAIS MORTE DE HONTE !
QUE VOULEZ-VOUS, MA CHÈRE, C'EST CELA LA LUTTE DES CLASSES !
BULLETIN
ÉCOLE SAINT-POTACHE
CLASSE DE Mme Latouche
ÉLÈVE Ducobu
A OBTENU 90%
35a

90% ! FICHTRE ! UN PETIT DIXIÈME DE POURCENT EN MOINS ET VOUS ÉTIEZ EXCLU DE NOTRE CLUB !
EXCUSEZ-MOI ! NOUS N'AVONS PAS ENCORE ÉTÉ PRÉSENTÉS. JEAN-VICTOR PERCHERON : 97% !
EUH ! CHARLES-HECTOR du BOCU !
VOUS VENEZ POUR LA CONFÉRENCE DE NOTRE ÉMINENTE CONSOEUR ?
GRMBL ! JE ME DEMANDE CE QUE CETTE CERVELLE DÉGÉNÉRÉE VA BIEN POUVOIR ENCORE RADOTER POUR SALIR MON IMMACULÉE RÉPUTATION !
CLUB 90%+
AUJOURD'HUI : CONFÉRENCE DE MADEMOISELLE LÉONIE GRATIN (99.9%)
ENFIN ! GLUPS ! JE VEUX DIRE !... JE SUIS CURIEUX DE DÉCOUVRIR CE QUE CE CERVEAU DE GÉNIE VA BIEN POUVOIR ENCORE RACONTER SANS FAILLIR À SON IMMENSE RÉPUTATION ! HÉ ! HÉ !
DDRRRRiiiii
JE CROIS QUE CELA VA COMMENCER !
VOUS AI-JE DIT QU'AVEC MES 97% J'AVAIS GAGNÉ DEUX PLACES, CETTE ANNÉE ?
VOUS PERMETTEZ QUE JE GAGNE LA MIENNE ? ELLE EST ASSISE, C'EST PLUS CONFORTABLE !
CONFÉRENCE
CHÈRES TÊTES DE CLASSE, MERCI D'ÊTRE VENUS SI NOMBREUX À CETTE PREMIÈRE CONFÉRENCE DE LA SAISON !
MAIS AVANT TOUT, COMME LE VEUT LA TRADITION DE NOTRE CLUB, LEVONS-NOUS POUR RÉCITER UNE TABLE DE MULTIPLICATION !
35b

0/10
1X7=7,2X7=14,3X7=21,4X7=28,
5X7=35,6X7=42,
7X7=49,
8X7=56,9X7=63,10X7=70
7x7 TOUSSE!
8x7 ATCHA! 9x7 PROOON!
EXCUSEZ-MOI. JE... J'AI PRIS FROID LORS DE LA REMISE DES PRIX LA SEMAINE DERNIÈRE...
CE N'EST PAS SANS UNE CERTAINE ÉMOTION QUE JE CÈDE À PRÉSENT LA PAROLE À LA PLUS DIGNE DE NOS REPRÉSENTANTES: LA DIVA DES TABLES DE MULTIPLICATION, L'IMPÉRATRICE DES DICTÉES, LA DOMPTEUSE DE PROBLÈMES, MADEMOISELLE 10 SUR 10...
LÉONIE GRATIN!
VOUS ALLEZ VOIR, C'EST UN ESPRIT BRILLANT!
JE SUIS DÉJÀ TOUT ÉBLOUI!
CLAP! CLAP! CLAP! CLAP!
CLAP! CLAP!
MERCI! MERCI!
MON EXPOSÉ AUJOURD'HUI AURA POUR SUJET LE PLUS TERRIBLE, LE PLUS SOURNOIS DES PRÉDATEURS: LE CANCRE!
J'AI PEUR!
NOUS Y VOILÀ!
LUMIÈRES, S'IL VOUS PLAÎT!
ENVOYEZ LES IMAGES!
35c

CE JOUR-LÀ, IL Y AVAIT INTERROGATION PORTANT SUR LES TABLES DE MULTIPLICATION...
VOUS AUREZ, JE SUPPOSE, AISÉMENT RECONNU QUI EST LE CANCRE ET QUI EST LA PREMIÈRE DE CLASSE...
AH! AH!
AH! AH! COMME C'EST SPIRITUEL!
AH! AH!
INTÉRESSONS-NOUS PLUS PARTICULIÈREMENT AU COMPORTEMENT DU CANCRE. IL S'AGIT COMME VOUS L'AUREZ REMARQUÉ D'UN CANCRE À RAYURES L'ESPÈCE LA PLUS DANGEREUSE!
CERTAINS PARFOIS LE CONFONDENT AVEC LA GUÊPE.
IL EXISTE POURTANT UNE DIFFÉRENCE NOTOIRE ENTRE CES DEUX DANGEREUX PARASITES: LA GUÊPE NE PIQUE QU'UNE FOIS TANDIS QUE LE CANCRE, LUI, PEUT VOUS PIQUER PLUSIEURS FOIS VOS RÉPONSES.
CAR, À L'IMAGE DE SON COUSIN LE TIGRE, BÂTI POUR LA CHASSE...
LE CANCRE EST BÂTI POUR LA TRICHE!
UN REGARD D'AIGLE CAPABLE DE DÉCHIFFRER DES PATTES DE MOUCHE À PLUS DE 10 MÈTRES...
REMARQUEZ AU PASSAGE QUE LE CANCRE, TEL LE CAMÉLÉON, A LA FACULTÉ DE BOUGER DISTINCTEMENT UN OEIL ET L'AUTRE.
35d

0/10
UNE OUÏE DE LIÈVRE POUR ENTENDRE D'ÉVENTUELLES RÉPONSES QUE LUI SOUFFLERAIT QUELQUE CAMARADE COMPLAISANT...
RIEN
UN COU DE TORTUE POUR VOIR SI LA VIE N'EST PAS PLUS BELLE SUR LA FEUILLE DU VOISIN...
TOUT DANS LE CANCRE LUI SERT À VOLER LE FRUIT DU TRAVAIL DE SON PROCHAIN LE PLUS PROCHE !
REGARDEZ D'AILLEURS AVEC QUELLE AISANCE NOTRE CANCRE SE SERT DE SES ... ENFIN ! DE SON POSTÉRIEUR POUR APPROCHER DE SA PROIE...
COMME QUOI, POUR DÉFENDRE SES ARRIÈRES, IL FAUT PARFOIS SAVOIR ATTAQUER LE DERRIÈRE DES AUTRES !
MMM
GNNM
AH! AH!
WAF! WAF! WAF! COMME C'EST RIGOLO !
LAS ! NOTRE CANCRE EST AUX ABOIS. IL A RECOURU À TOUS LES ATTRIBUTS DONT L'A DOTÉ MÈRE NATURE ET SA FEUILLE D'INTERROGATION EST TOUJOURS DÉSESPÉRÉMENT VIDE !
DANS 5 PETITES MINUTES ON RAMASSE LES COPIES !
C'EST À CE MOMENT, CHERS AMIS, QUE NOTRE CANCRE, ACCULÉ, DÉCIDE DE RECOURIR À SA BOTTE SECRÈTE !!
QUOI ?!
SE POURRAIT-IL QUE... ?
35e

0/10
COMME VOUS LE SAVEZ, CERTAINS ANIMAUX PEU ÉVOLUÉS, FACE À UN DANGER EXTRÊME, FONT PREUVE DE FACULTÉS ÉTONNANTES.
AINSI, POUR ÉCHAPPER À LA MORSURE DES FLAMMES, LE SCORPION S'INOCULE UN POISON QUI LE PLONGE EN CATALEPSIE.
VITE! VIIIITE!
POUR SA PART, FACE AU DANGER, LE SCRIPTOR SERPENT ALLONGÉ DES RÉGIONS DÉSERTIQUES DU NORD DE L'AFRIQUE SE MONTRE PLUS ALTRUISTE.
IL PRÉVIENT SES CONGÉNÈRES DU DANGER.
DEVANT LA MENACE, LE BERNARD-L'ERMITE, LUI, PRÉFÈRE CHERCHER REFUGE DANS LE PREMIER ABRI INOCCUPÉ VENU.
A LOUER
IL Y ATTENDRA, LE TEMPS NÉCESSAIRE, QUE LE DANGER SOIT PASSÉ.
HOME SWEET HOME
JUSQU'À LA BALEINE, MAJESTUEUSE CATHÉDRALE DES OCÉANS, POUR ADOPTER, FACE AU DANGER, UN COMPORTEMENT POUR LE MOINS SURPRENANT...
ELLE RECOURT AUX SERVICES DE GARDES DU CORPS !
!?
GREENPEACE
MAIS LE CANCRE À RAYURES FAIT ENCORE PLUS FORT !
POUR LA PREMIÈRE FOIS DANS L'HISTOIRE DE LA CANCROLOGIE, JE SUIS EN MESURE DE VOUS RÉVÉLER LA NATURE DE SON TERRIFIANT POUVOIR !
35f

0/10
REGARDEZ : CES IMAGES SE PASSENT DE COMMENTAIRES !
QUELLE HORREUR !
CO... COMMENT VOULEZ-VOUS LUTTER CONTRE ÇA ?
MA BOTTE SECRÈTE N'EST PLUS !
EH OUI, CHERS AMIS ! POUR ÉVITER DE REDOUBLER, LE CANCRE EST CAPABLE DE SE DÉDOUBLER !
CET EXERCICE PSYCHIQUE DEMANDE AU CANCRE UNE ÉNERGIE COMPARABLE À CELLE DÉGAGÉE PAR UN HOMME POLITIQUE POUR PARAÎTRE SYMPATHIQUE LORS D'UN DÉBAT TÉLÉVISÉ ! AUSSI LE CANCRE N'Y RECOURT-IL QU'EN CAS D'ABSOLUE NÉCESSITÉ !
BAS LES MASQUES !
MAIS !..
QUE ?..
35g

0/10
JE ME DISAIS BIEN : CETTE TÊTE DE CLASSE A UNE TÊTE QUI NE ME REVIENT PAS ! USURPATEUR !
MAIS QU'ALLEZ-VOUS IMAGINER LÀ, CHER CONFRÈRE ? JE SUIS DES VÔTRES ! REGARDEZ MON BULLETIN !
LE PARTICIPE PASSÉ DU PÉRIMÈTRE DE LA BATAILLE DE MARIGNAN S'ACCORDE EN GENRE ET EN NOMBRE AVEC LES ROBINETS QUI FUIENT MULTIPLIÉS PAR LA RACINE CARRÉE DU VERBE AVOIR !
ET TOUT ÇA !
DZOOIIING !
DUCOBU ?!
COMMENT A-T-IL FAIT POUR... ?
AU SECOURS !
HIIII ! UN CANCRE À RAYURES !
LAISSEZ-MOI PASSER !
PERMETTEZ ! J'AI PRIORITÉ. J'AI OBTENU 1 POURCENT DE PLUS QUE VOUS !
CRÈME D'HOOLIGAN ! TU AS FICHU EN L'AIR MA CONFÉRENCE !
PARLONS-EN, TRAÎTRESSE À TRESSES ! COMMENT OSES-TU RÉVÉLER AU PUBLIC LES PETITS SECRETS DE NOTRE VIE PRIVÉE !?! NOS PROBLÈMES DE VOISINAGE NE CONCERNENT QUE NOUS !
À CHACUN SES ARMES, TRICHEUR ! TOI, TU RECOURS BIEN AUX SCIENCES OCCULTES !
LES GROS MOTS N'Y CHANGERONT RIEN ! DÈS DEMAIN, JE DEMANDE LE DIVORCE : J'EXIGE QUE MONSIEUR LATOUCHE ME CHANGE DE PLACE !
ET SUR QUI COPIERAS-TU, DÉBILE INDÉLÉBILE ?!
ILS SONT PARFOIS UN PEU PÉNIBLES, VOUS NE TROUVEZ PAS ?
À QUI LE DITES-VOUS ! PARFOIS J'AI ENVIE D'ALLER FAIRE DE L'ESPRIT AILLEURS, DANS UN AUTRE CORPS ! PAS VOUS ?
PARASITE !
PAPARAZZITE, TOI-MÊME !
VOUS A-T-ON DÉJÀ DIT QUE VOUS ÉTIEZ UN TRÈS BEL ECTOPLASME ?
FLATTEUR !
FIN
35h

CONFISQUÉ!
NAOON! TOUT MAIS PAS ÇA! JE FERAI MES DEVOIRS, J'APPRENDRAI MES TABLES DE MULTIPLICATION, J'ARRÊTERAI DE TRICHER SUR MA VOISINE. MAIS PAR PITIÉ, NE CONFISQUEZ PAS MON TREMPLIN!
TREMPLIN
Chaque semaine retrouve Ducobu dans
TREMPLIN

a)

$7 \times 7 =$

$6 \times 6 =$

$3 \times 2 =$

$4 \times 5 =$

$6 \times 7 =$

$8 \times 9 =$

$7 \times 3 =$

$4 \times 9 =$

$8 \times 8 =$

$4 \times 3 =$

b)

$8 \times 2 \times 4 =$

$11 \times 5 \times 22 =$

$7 \times 6 =$

$9 \times 8 =$

$5 \times 8 =$

$18 \times 3 =$

$7 \times 11 =$

$11 \times 10 =$

$18 \times 10 =$

$5 \times 7 =$

c)

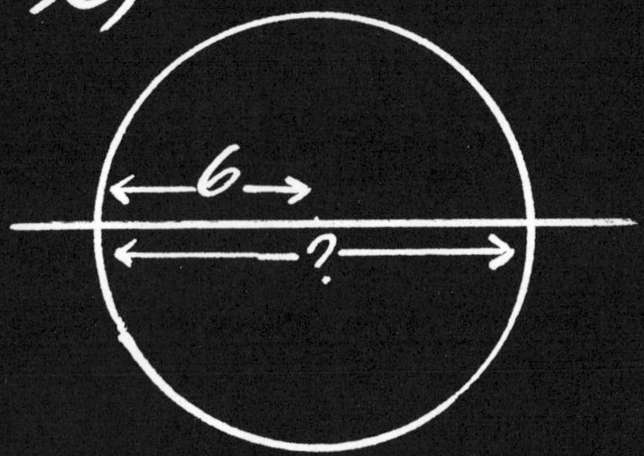

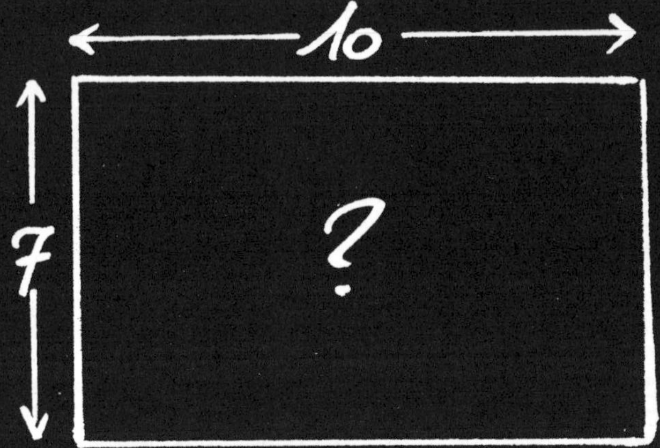

e)

12,5 + 6,23 =

5,6 + 3,2 + 1,1 =

18,75 - 2,23 =

d) 3 x 6 =

1,8 x 2 =

34 + 75 =

12 + 26 =

5 + (2 x 4) =